ISBN 978-2-211-22442-0

© 2016, l'école des loisirs, Paris, pour la présente édition
dans la collection « Titoumax »
© 2012, l'école des loisirs, Paris
Loi numéro 49 956 du 16 juillet 1949 sur les publications
destinées à la jeunesse : mars 2012
Dépôt légal : juin 2016
Imprimé en France par Pollina à Luçon - L75765

Édition spéciale non commercialisée en librairie

le roi du château

Une histoire de Jeanne Taboni Misérazzi

illustrée par Adrien Albert

l'école des loisirs

11, rue de Sèvres, Paris 6ᵉ

Toute la matinée, Émile a construit un château.
C'est le plus beau de toute la plage, et aussi le plus gros.
« Je suis le roi de ce château. »

« Viens te baigner Émile, il fait chaud. »

Arrive une famille de bigorneaux. Papa bigorneau avise le château,
il s'exclame : « C'est le plus beau de toute la plage, et aussi le plus gros !
Voilà exactement ce qu'il nous faut : entrons, les enfants. »

Arrive un jeune crabe.
Il avise le château :
« C'est le plus beau
de toute la plage,
et aussi le plus gros.
Voilà exactement
ce qu'il me faut. »

Et il entre.

« Je suis le roi de ce château ! »
annonce le crabe.
« Dehors, les coquillages,
allez, ouste ! »

Papa bigorneau proteste :
« On était là avant ! S'il y a un roi ici,
c'est moi ! N'est-ce pas les enfants ? »
Le ton monte : ils vont se battre,
c'est sûr !

Arrive Émile, qui revient de la baignade.
Il est content de retrouver son beau, son gros château mais…

« MAMAN !!! Viens viiite, il y a des bêtes !!! »

Arrive maman.
Avec la pelle, elle ramasse tout le monde.

Crabe, bigorneaux, zou ! À l'eau.
Voilà, Émile est le roi du château.

Arrive la vague.

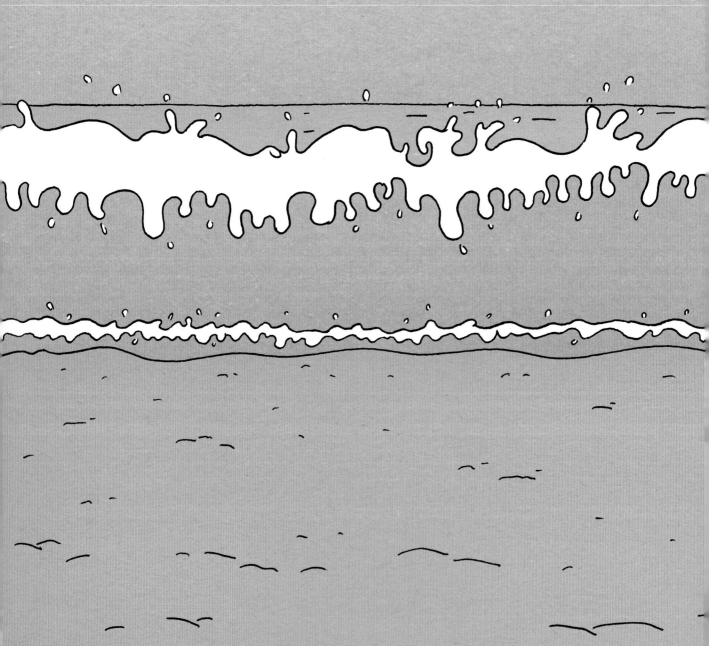

cccCCHVLOUFCH !

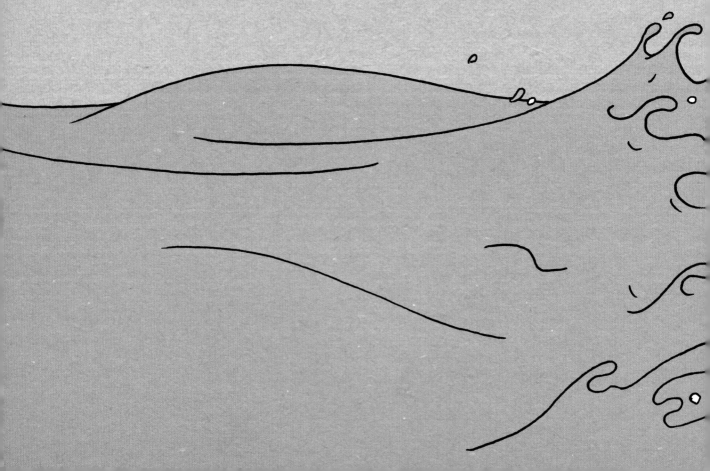

Plus de château.